Rêves de soie

Les dessous de la lingerie

*Un monde à découvrir,
Un moment de douceur,
Un geste féminin...
À vous faire partager...*

*C. de Bizemont
C. Robinson*

Photographies
Gil de Bizemont

Textes
Corinne Robinson

Conception graphique
Valérie Cohen

**HORS
COLLECTION**
éditions

Ce voyage au cœur
de la lingerie dévoile toutes
les étapes de la création
d'une parure.

La lingerie

Accessoires du quotidien mais aussi
armes de séduction pour les femmes,
objets de fantasme pour les messieurs,
les dessous féminins habillent le corps
de luxe, de douceur et de rêve.

La lingerie achetée en boutiques ou dans les grands magasins peut sembler chère quand on ignore les nombreuses étapes du processus de création, de mise au point et de fabrication d'un soutien-gorge de qualité, ainsi que le nombre impressionnant d'acteurs de l'ombre qui participent à la réalisation de l'œuvre.

Entre le fil, la dentelle ou la soie et l'acheteuse, 90 intervenants se seront succédé, ce qui fait sans doute de la lingerie le plus technique et le plus précis des arts de l'habillement.

Sublimer le désir

Les créateurs travaillent en trois dimensions, avec des tolérances au millimètre près, alors que dans le prêt-à-porter les tolérances se calculent en centimètres.

Et pourtant, rien ne ressemble plus à un soutien-gorge qu'un autre soutien-gorge… Comment font les stylistes lingerie pour innover dans un univers aussi technique et concurrentiel ?

Le long processus de création commence par le choix des matières et des coloris, et débute très tôt en amont, avec les fabricants de dentelle et de broderie.

Sommaire

La seule évocation
des mots "dentelle" et "broderie"
a le pouvoir de nous
faire rêver.

La France du XVIIIe siècle était réputée pour son élégance, et les tenues de Mme de Pompadour, très ornementales, mettaient broderie et dentelle à l'honneur. Aujourd'hui, ces dernières demeurent le symbole du raffinement et de la féminité.

Calais : le berceau de la dentelle

Loin d'être vieillotte ou obsolète, la dentelle est une matière noble, intéressant tous les domaines de la mode. La haute couture, les créateurs et même le prêt-à-porter l'ont remise au goût du jour en surfant sur les tendances "customisation et vintage". Enfin et surtout, elle est indissociable de la lingerie, permettant toutes les audaces de couleurs, de motifs et de transparences, dans une constante recherche de raffinement et d'élégance.

La capitale mondiale de la dentelle et la première étape de la filière lingerie se situent en France, dans le Nord, précisément à Calais.

Depuis le XIXe siècle, la dentelle est intrinsèquement liée à l'histoire de la ville, qui abrite un musée des Beaux-Arts, en attendant, à l'horizon 2007, l'ouverture d'une cité/musée de la Dentelle et de la Mode, qui prendra symboliquement ses quartiers dans une ancienne usine de tulle, en plein centre-ville.

Le savoir-faire et l'expérience d'environ 2 000 salariés continuent à faire de la dentelle de Calais un *must* internationalement reconnu par les créateurs et fabricants de lingerie. En vedette, les métiers Leavers datant du XIXe siècle, qui offrent des possibilités de création bien plus étendues que les métiers à tisser plus récents.

Sur les 500 métiers Leavers existant dans le monde, près de 400 se trouvent à Calais.

Dentellier : entre tradition et modernité

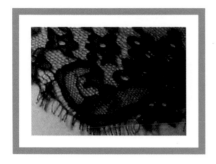

À Calais, l'industrie dentellière est riche de secrets de fabrication ancestraux. Ces entreprises familiales ont su préserver leur âme et transmettre leur savoir-faire depuis trois, voire quatre générations. Noyon : une des entreprises incontournables du secteur ; l'accueil y est chaleureux, la fierté et la passion des salariés, palpables.

Depuis 1919, l'entreprise familiale créée par Lucien Noyon fait partie du paysage industriel calaisien ; elle emploie aujourd'hui environ 500 personnes et est dirigée par Olivier Noyon, petit-fils du fondateur.
Premier constat : l'industrie dentellière est un métissage de tradition, d'innovation et de modernité.

métier Leavers

Disons-le une fois pour toute, la dentelle Leavers est la fine fleur de la dentelle, et sa finesse est légendaire.

Traditionnellement, cette dentelle tissée est fabriquée sur de splendides métiers Leavers (du nom de son créateur) importés d'Angleterre.

Les méthodes et les gestes des tullistes sont les mêmes transmis de génération en génération.
Le tulliste est responsable du pilotage du métier, de son entretien et de sa pérennité.

Il le bichonne avec amour, conscient de détenir entre ses mains un outil d'une valeur inestimable.
Ceci est d'autant plus vrai qu'il n'existe plus de fabricants de métiers Leavers ; la maintenance du parc machines est donc devenue primordiale.

En entrant dans le bâtiment, on est tout d'abord assailli par un brouhaha rythmique de sons secs, métalliques et assourdissants.
Le décor est d'un autre temps, celui de l'ère industrielle du début du XXe siècle.

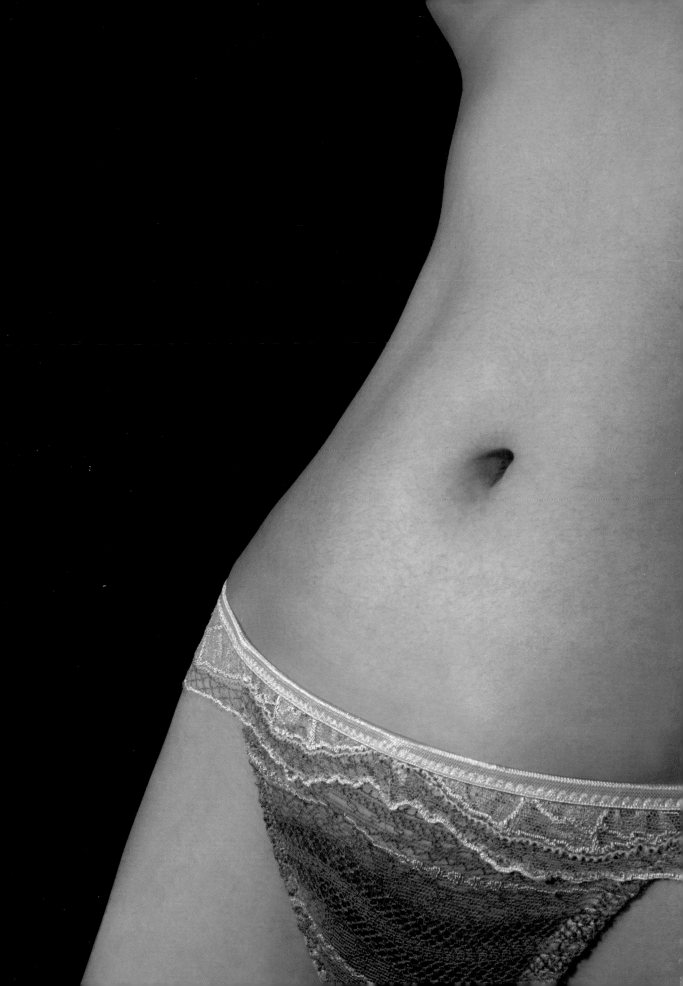

travail de fils

Plus de 80 métiers Leavers en action, immenses, majestueux, et puis surtout des fils, des milliers de fils, qui à chaque passage laissent deviner un petit peu plus le fond et les motifs de la dentelle.

De ce monstre de ferraille pesant 12 à 15 tonnes émerge une dentelle d'une extrême finesse ; c'est grâce à la complexité de ces métiers utilisant jusqu'à 15 000 fils que l'on peut dessiner des fonds très compliqués et des motifs d'une infinie variété.
Surtout, l'œil initié reconnaîtra ce type de dentelle grâce à son picot bien spécifique.

La dentelle est avant tout une histoire de milliers de fils tissés ou tricotés ensemble.
Leur choix, leur trajet définiront les motifs, les reliefs et les contrastes, ses pleins et ses transparences.
La magie est déjà présente dès le départ dans cette association savante de fils.
Tous ces travaux se font en "écru".
Autant dire qu'il est impossible pour les novices d'imaginer le rendu final.

La couleur n'apparaît qu'une fois la dentelle fabriquée en phase d'ennoblissement, la dernière étape, mais c'est une autre aventure, que nous aborderons plus loin.

… sont les mêmes transmis
de génération en génération.

Grandes étapes de la fabrication d'une dentelle

Création

À l'origine de la création d'une dentelle : le trait de l'esquisseur. Un beau métier artistique peu connu du grand public. Première ébauche, sur papier ou sur calque, qui donnera naissance à la forme du dessin ou au motif, à son emplacement, aux types de fils (brodeurs, flochés, fonds, guimpes) à utiliser. En collaboration avec le bureau de style, l'esquisseur travaille très en amont et participe à l'élaboration des collections du dentellier.

Véritable défricheur de l'air du temps, il doit sentir et anticiper les tendances de la mode dans les deux années à venir. Cette position avant-gardiste reflète toute la difficulté inhérente aux métiers de création : le timing.

Impossible d'arriver trop tôt, au risque d'être incompris, et impossible d'arriver trop tard, sous peine d'être ridiculisé ou dépassé. L'esquisseur teint compte également des contraintes techniques et industrielles.

dessinateur

wheelag

wappage

À l'étape suivante, un autre métier mixant art et technique : le dessinateur. Son rôle est de traduire l'esquisse en un dessin technique. Pour ce faire, il agrandit l'esquisse six ou sept fois et définit précisément, calque après calque, le passage des fils en machine.

Un travail titanesque de patience et de précision ; l'œil du dessinateur est super-entraîné.

Puis il va s'agir de numériser le dessin et d'enregistrer la position de chaque fils ; c'est le travail des "pointeuses".

À partir du dessin, le perçage des cartons pour les mécanismes Jacquard est assuré le plus souvent par ordinateur. Pourtant, il existe encore des "pianos à percer", activés par des perceurs de cartons, mais cette technique tend de plus en plus à être remplacée par l'ordinateur.

Une fois les cartons percés, ils sont reliés entre eux et montés sur le système Jacquard.

Préparation

Étape essentielle du processus de fabrication, la préparation des fils et leur montage sur le métier : le wappage et le wheelage.

WAPPAGE

Préparation par le wappeur des différents fils : polyamide, polyester, coton, élasthanne, viscose…

Ils seront passés un à un à travers le métier dans les différentes barres à dessin par les passeurs de chaîne.

WHEELAGE

Le chargement des fils sur bobine est généralement réalisé par des femmes, appelées les wheeleuses. Elles chargent plus de 100 mètres de fils sur une bobine avec une grande maîtrise et une précision étonnante.

Les bobines sont ensuite pressées, puis chauffées par série de 3000 à 5000 à 120 °C. Une fois ce travail effectué, le remonteur les installe minutieusement dans le chariot. Sur un métier, on trouve des milliers de chariots qui vont avancer et reculer d'un même mouvement pour former la dentelle.

Fabrication

Le tulliste est aux commandes du métier Leavers. Il guette, parmi 15000 fils, la moindre cassure à renouer. La difficulté sur ces énormes métiers, c'est que ces fils sont parfois peu accessibles.

contrôle

Les chariots avancent et reculent pour former la trame, pendant que les fils de chaînes vont de gauche à droite puis de droite à gauche. La dentelle Leavers est une dentelle tissée, et non tricotée.
La rectification des bobines est aux mains du dresseur de bobines, leur réparation aussi.

La fabrication des dentelles tricotées de la nouvelle génération Jacquard-tronic ou Textronic inclue trois autres métiers :
- le monteur, qui est responsable du changement du dessin ;
- le régleur, qui assure la qualité des réglages des métiers et de leur fonctionnement ;

- le rachelliste, qui surveille un groupe de métiers et veille à la qualité de la production (régularité et soin).

Contrôle et finition
La dentelle écrue tombée d'un métier est plus ou moins grisâtre, et à ce stade elle ne fait guère rêver.

Le contrôle consiste à dérouler la dentelle sur d'immenses machines, appelées des visiteuses, pour repérer les défauts ou les accrocs.

Ceux-ci sont réparés à la machine, et parfois à la main par les raccommodeuses écru.

dentelle sur
métier Leavers

La broderie a véritablement
gagné ses lettres de noblesse
dans les cours européennes.

Broderie
Ennoblissement d'une matière

Dentelles et broderies sont les matières nobles et fondamentales de la lingerie. À la différence de la dentelle (technique tissée ou tricotée), la broderie est une technique d'ennoblissement qui enrichit une matière appelée plus communément un fond.

À l'origine, elle était faite à la main. La broderie a véritablement gagné ses lettres de noblesse dans les cours européennes. Elle s'est tout d'abord développée en Angleterre, sous le règne d'Élisabeth 1re, grâce à l'invention des aiguilles en acier et à l'importation de soie en provenance d'Asie.

Elle connaît un immense succès à partir de 1818 avec l'apparition de la broderie "blanche", plus connue aujourd'hui sous le nom de broderie "anglaise".

En France, c'est sous le règne de Louis XV que l'utilisation de la broderie explose véritablement, ajoutant à la richesse des soies une dimension extrêmement ornementale : c'est l'avènement de la période rococo.

La mode rococo, reflet de la société d'alors, avide de tous les plaisirs, hisse le vêtement au rang d'œuvre d'art.

Au XXe siècle, la région vosgienne est spécialisée dans les broderies pour trousseaux. L'évolution industrielle met fin aux travaux d'aiguilles.

Aujourd'hui, la broderie est produite industriellement à Saint-Quentin, dans le Lyonnais, en Suisse (Saint-Gall), en Autriche (Lustenau) et en Extrême-Orient.

Brodeur : à la croisée de l'artisanat et de l'industriel

La majorité des entreprises de la broderie française est située en Picardie, autour des villes de Saint-Quentin, Villers-Outréaux et Caudry. Elles fabriquent de la broderie destinée au prêt-à-porter, à la lingerie, aux voilages, aux écussons et aux colifichets.

Dans le secteur, une quarantaine de brodeurs sont regroupés sous le label Broderies de France, garantissant qualité et créativité.

À Villers-Outréaux, l'entreprise Potencier emploie une centaine de personnes pour un chiffre d'affaires d'un peu plus de 11 millions d'euros (2003) et une exportation essentiellement destinée à l'Europe.

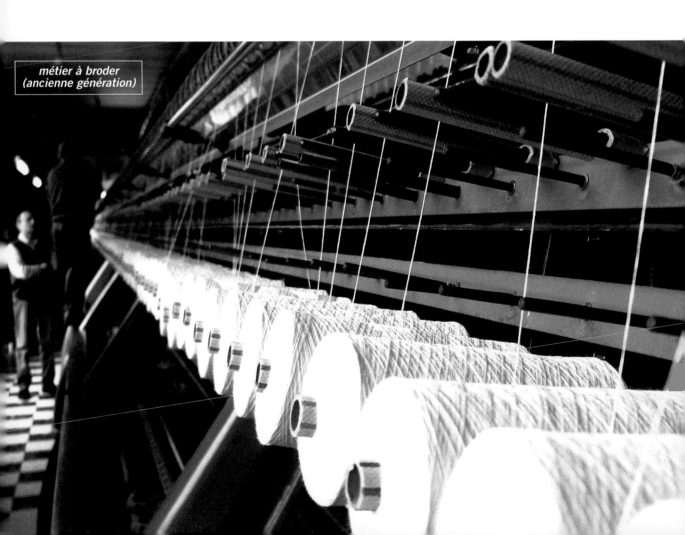

métier à broder (ancienne génération)

Une entreprise familiale créée en 1883 qui, sous l'impulsion d'Alexandre Potencier, se spécialise dans la broderie dès 1931. Serge Potencier, père des actuels dirigeants, succède à Alexandre en 1948, et la S.A. Potencier est créée en 1964. Entre 1970 et 1980, les trois fils font leur entrée et feront le choix stratégique d'une spécialisation en lingerie-corseterie dès 1982.

Parallèlement, les métiers à broder évoluent et passent de mécaniques à automatiques pour devenir des métiers informatisés et pilotés par ordinateur.

Cette évolution n'échappe pas aux dirigeants, qui investissent dans de nouveaux métiers haute technologie pour répondre à une demande croissante, et plus particulièrement depuis le milieu des années 1990.

Les trois frères (Denis, Jean-Luc et David) Potencier se sont lancés corps et âme dans l'aventure avec la passion, le courage et la volonté nécessaires pour relever les défis techniques, artistiques et commerciaux dans un contexte textile très concurrentiel.

L'amour du métier étant plus fort que tout, "quasiment inscrit dans les gènes", rien ne saurait dérouter l'entreprise de sa quête de succès et de pérennité.

Quelques chiffres

- Consommation moyenne de fils par an : 20 tonnes.
- Ces 20 tonnes correspondent à une longueur de 760 000 kilomètres, soit dix-neuf fois le tour de la Terre.
- Au final, les métrages brodés représentent environ 2 millions d'articles destinés aux consommateurs.

"La broderie, c'est de la joaillerie, déclare fièrement David Potencier, directeur commercial ; c'est l'art de mettre en valeur des associations de fils, de motifs, de coloris et de fonds."

La broderie apporte exubérance et luxe. Elle pimente les dessous et leur confère caractère et personnalité.
Tel un bijoux, elle souligne et met en valeur les décolletés... du plus sage au plus sexy.
C'est le nec plus ultra de la lingerie ornementale, de la lingerie séduction, de la lingerie à offrir.

Pourtant, la dimension artisanale du métier de brodeur ne doit pas dissimuler la dimension industrielle de pointe : celle de la nouvelle génération des métiers à broder haute technologie.

L'évolution des matières de fond a totalement révolutionné l'emploi de la broderie dans la création lingerie-corseterie.

L'apparition de fonds extensibles a considérablement développé son utilisation ; broder sur des bases extensibles donne du relief à la broderie, qui se place naturellement sur la poitrine. Il existe une grande diversité de supports : tulles, voiles, crêpes, satins, mousselines, résilles, imprimés, dentelles...
Cette grande diversité demande de formidables capacités d'adaptation. Les contraintes techniques (tolérances au milimètre près) sont extrêment pointues.
L'avancée ne s'arrêtera certainement pas là… L'avenir est ouvert.

" La broderie, c'est de la joaillerie…
c'est l'art de mettre en valeur
des associations de fils, de motifs,
de coloris et de fonds. "

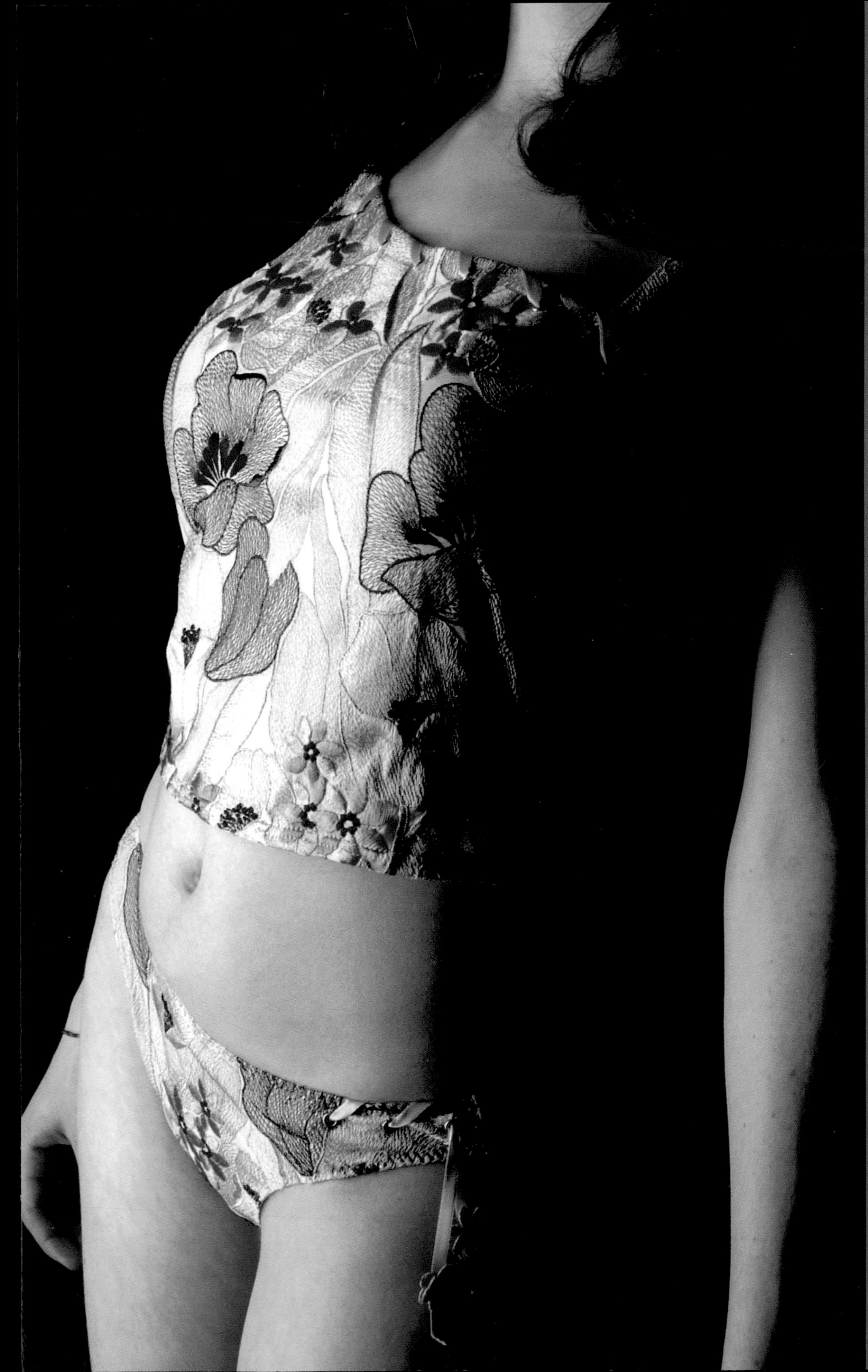

Grandes étapes de la fabrication d'une broderie

Création

Première étape : le stylisme.

Les stylistes réalisent des panneaux de tendance à partir d'un travail de recherche alimenté par les informations des bureaux de style, mais aussi le shopping chez les créateurs et dans le prêt-à-porter.

Ces panneaux indiquent les grands thèmes des collections été ou hiver définissant des gammes de coloris, des orientations de motifs et dc matières pour les fonds.

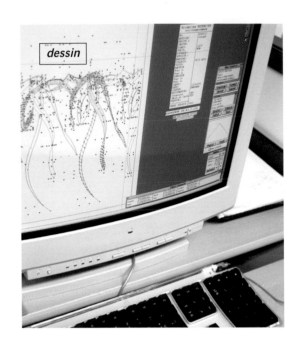

esquisses

digitalisation

À l'origine d'une broderie, tout comme à l'origine d'un motif de dentelle d'ailleurs, il existe le tandem déjà mentionné de l'esquisseur et du dessinateur.

Le premier dessine le motif de la broderie sur un calque quadrillé suivant les écarts de broderie (ce qui correspond à l'écartement réel des aiguilles).
Chaque année, environ 1 200 esquisses sont réalisées, parmi lesquelles une cinquantaine est finalement validée par les confectionneurs.

À partir de l'esquisse, les dessinateurs réalisent un dessin technique qui agrandit six ou sept fois l'esquisse : c'est ce que l'on appelle la mise en carte.

Après quoi, on passe à la digitalisation. À ce stade, une grande précision est requise, et l'opérateur définit point par point le travail des aiguilles : à chaque point correspond un fil.

perçage des cartons
(ancienne version)

Grâce à des logiciels adaptés à la mise en carte, on a donc remplacé les anciens cartons Jacquard par le piquage électronique, ce qui a eu comme effet immédiat un gain de temps considérable.

Échantillonnage

Le service échantillonnage doit être réactif et surtout flexible.

Il faut convaincre l'acheteur. Pour ce faire, un échantillon est fabriqué sur un métier plus petit que les métiers de production. Une fois réceptionné chez le fabricant de lingerie, l'échantillon passe une petite série de tests de conformité. Une fois ceux-ci validés, le feu vert est donné et le brodeur lance la production à grande échelle sur des métiers industriels.

bobines
à l'avant du métier

Fabrication

En résumé, pour fabriquer une broderie, il faut un fond, du fils et un métier à broder.

Ici, tous les fils sont achetés en écru (généralement des fils 100 % polyester), puis teints dans la région, à Lille.

Cette méthode confère une excellente solidité de teinture aux Broderies Potencier.

L'offre de fils teints est ensuite répertoriée dans un classeur.

Potencier a enrichi son parc de métiers à broder électroniques intégrant une fonction "coupe des fils" automatisée. Ils sont installés dans d'immenses pièces à température constante de 23 ou 24 °C, hiver comme été.

Ils mesurent 14 à 19 mètres en longueur. À l'avant du métier on trouve les bobines de fils, à l'arrière, les cocons de fils dans leurs navettes. Une machine vide automatiquement les navettes des cocons vides, et les remplit de nouveaux cocons.

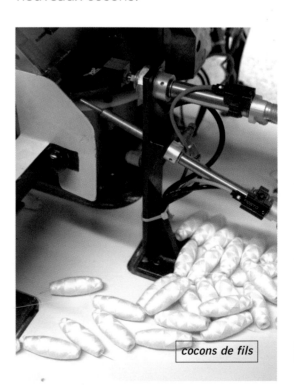

cocons de fils

accommodage

Le travail du métier à broder se fait dans la longueur, entre lisières ; c'est ainsi que plusieurs galons, volants ou motifs sont brodés sur une même coupe et seront séparés à la finition.

Le fond à broder ou support de broderie (maille, tulle, dentelle, etc.) est fixé et tendu sur le cadre du métier.

Lorsque le fond est fragile, on lui superpose un tissu d'aide non tissée en polyvinyle d'alcool, qui disparaît par dissolution dans l'eau. C'est sur ce type de tissu que sont incrustées les guipures, c'est-à-dire une broderie très dense réalisée sur un fond qui disparaît à la finition.

RACCOMMODAGE

Une fois "tombées de métier", les coupes de broderie sont contrôlées, et les points manquants dus à une "casse" de fils sont raccommodés à la machine à l'aide d'un cadre qui tend la matière.

CALANDRAGE

Cette opération lustre la broderie à l'endroit et l'aplatit sur l'envers.

RIFLAGE

Il s'agit d'éliminer les "fils flottants" (fils reliant un motif à l'autre) que l'on peut trouver sur les tissus brodés par du matériel traditionnel.

Cependant, sur le matériel moderne, bien qu'il existe le "coupe-fils" automatique, la complexité de certains dessins nécessite parfois également cette opération.

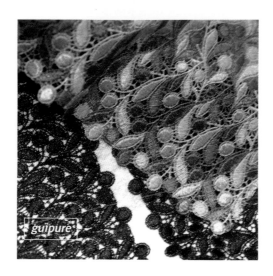

guipure

DÉCHIMIQUAGE

C'est la suppression du tissu d'aide par simple lavage à l'eau (90 °C) pour les guipures et les broderies sur supports.

RAME

Le passage en rame permet de fixer les dimensions de la broderie mais aussi de la "repasser".

C'est absolument nécessaire après le déchimiquage, qui "chiffonne" la matière.

DÉCOUPAGE

Il y a plusieurs galons, volants ou motifs sur une même coupe ; il s'agit de les découper pour les séparer, en suivant les écailles de la broderie.

Contrôle et finition

Une fois découpés, les galons sont visités pour épluchage (nettoyage au ciseau) et repérage de défauts éventuels. On inspecte l'endroit et l'envers de la broderie.

CONDITIONNEMENT

Ultime étape avant la livraison chez le client, les bandes sont enroulées sur les plaques en carton et mises sous film. Les laizes, quant à elles, sont mises directement sur rouleau dès la sortie de rame.

Enfin, les produits sont expédiés chez les fabricants de lingerie, qui mettront en forme ces matières précieuses indispensables à la production.

Pour la consommatrice, c'est la promesse tenue d'un produit sophistiqué à la sensualité envoûtante.

Comment résister plus longtemps au relief d'une guipure, à l'originalité d'un motif, à l'exubérance des volutes évoquant souvent un travail d'orfèvre ?

*L'accessoire,
élément de style,
dynamise et personnalise
les créations lingerie.*

Ornements

Le petit ornement lingerie passe le plus souvent inaperçu aux yeux de ces messieurs.
Principalement logé à l'entre-gorge, l'accessoire est devenu un élément de style incontournable, dynamisant et personnalisant les créations lingerie.

On découvre à Saint-Just-Malmont, en Haute-Loire, non loin de Saint-Étienne, l'unique entreprise française de création et fabrication d'ornements textile, la Seram.

Dans le monde, il existe à ce jour trois entreprises de ce type : aux États-Unis, en Chine et en France. La création de la Seram remonte à 1986.

Dès l'origine, l'activité de l'entreprise s'est appuyée sur une tradition régionale, Saint-Étienne étant connue pour la fabrication de rubans de petite largeur.

Du ruban au petit nœud il n'y a qu'un pas. La Seram travaille dans un premier temps pour la coiffure, et fabrique des nœuds à cheveux.
Puis elle se lance dans l'aventure du nœud lingerie en 1988.
À cheval entre l'artisanat et l'industriel, la fabrication des nœuds exige un vrai savoir-faire manuel et demande une main-d'œuvre importante.
Au départ, l'entreprise fait appel à des travailleurs à domicile, qui sont payés à la pièce.

machine à découper des formes

Unique fabricant d'ornements français

Le créateur visite les fermes environnantes pour dispatcher des bobines de ruban et récupérer des milliers de petits nœuds faits main.

Rapidement, le petit nœud lingerie représente 90 % des ventes, et les petites mains de la région ne suffisent plus. La Seram inaugure alors, en 1991, un centre de production à Madagascar.

Entre 1990 et 2000, l'entreprise progresse régulièrement. L'usine de Saint-Just-Valmont est créée en 1995. Elle ouvre un second site au Sri Lanka dès 1997, et étend son activité au packaging en 1999. L'année suivante, de nouvelles unités voient le jour à Taïwan et en Chine. En 2003, l'activité se diversifie vers les secteurs du prêt-à-porter et de la cosmétique.

La Seram emploie 70 personnes en France et environ 500 à travers ses sites délocalisés.

Elle propose plus de 3000 références (à multiplier par le nombre de coloris) à ses clients, qui sont pour la majorité localisés dans les pays européens (France, Italie, Allemagne, Espagne, Grande-Bretagne), ainsi qu'en Asie.

Les voyages forment l'accessoire

Qui aurait imaginé qu'un accessoire lingerie, en apparence anodin, serait en réalité un véritable globe-trotter ? Avant d'être monté, il sera passé de mains en mains entre la France, Madagascar, le Sri Lanka et la Chine. À ce stade, l'épopée ne fait que commencer, et on est encore loin d'imaginer dans quelle contrée il arrêtera sa course folle.

Une fois monté, il revient en France, à la Seram, pour être contrôlé une dernière fois avant d'être expédié chez les clients fabricants de lingerie. La plupart des ateliers de montage sont à l'étranger... le voilà donc reparti à l'autre bout de la planète.

Puis il est rapatrié pour intégrer le stock du fabricant, avant de reprendre la route ou les airs pour sa destination finale.

Avant-dernière étape, on le retrouve dans les boutiques de Paris, Tokyo, New York, Milan, Londres ou Moscou...

Puis il va trouver sa place définitive au creux de la chaleur d'un décolleté.

Depuis quatre ans environ, l'ornement lingerie a connu un véritable boom : il est devenu un élément de style à part entière, et il n'est pas rare qu'il soit intégré dès le départ dans la création lingerie (25 % des créations sont des exclusivités). Il est vrai que l'avènement de la lingerie ornementale a largement contribué à développer cette activité.

On imagine mal la grande diversité de l'offre et la richesse de la créativité dans ce secteur... Qu'entend-on par ornements lingerie ? Les petits nœuds lingerie, bien sûr, mais aussi de petits bijoux (perles, strass), des bretelles de soutien-gorge, des motifs figuratifs (tel l'incontournable cœur de la Saint-Valentin) et aussi... des dos de string.

À l'heure où les strings dépassent des jeans, tous les espoirs d'expansion sont permis.

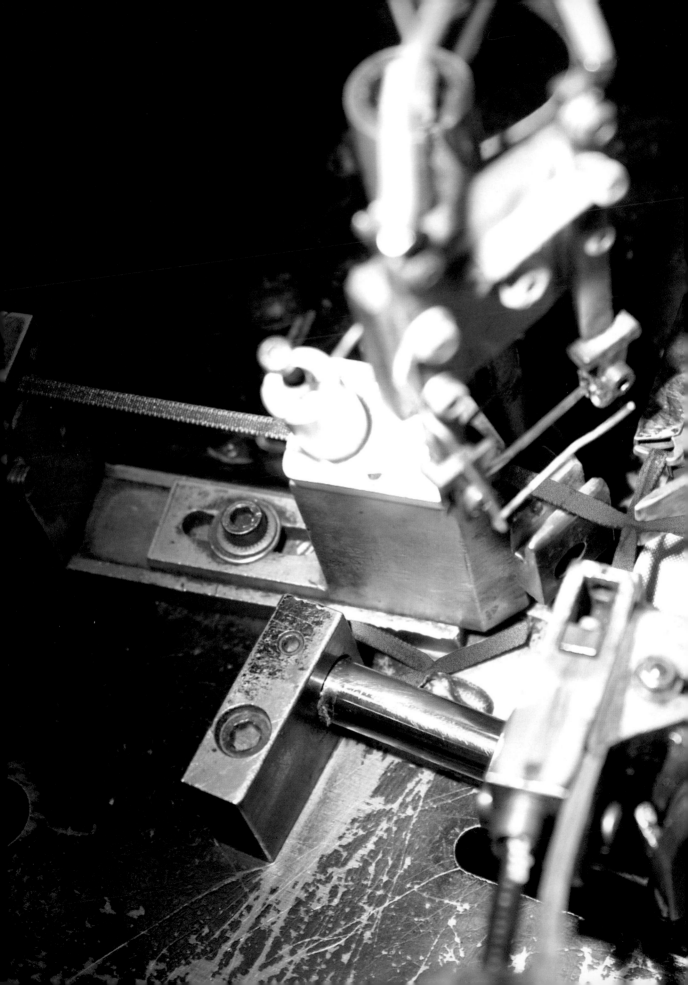

Grandes étapes de la fabrication de l'ornement lingerie

Stylisme

Aujourd'hui, le petit nœud a été détrôné et il ne représente que 6,7 % des ventes.

Autant dire que la créativité et le renouvellement des ornements sont essentiels pour une bonne évolution de l'entreprise.

Dès 1992, la Seram embauche une équipe de stylistes.
On trouve à ce jour environ 5 000 articles à l'échantillonnage. La société diversifie également son activité vers le balnéaire, la ligne enfant, le packaging industriel, et plus récemment le prêt-à-porter et la cosmétique.
À titre d'exemple : la jarretière sur le flaconnage du parfum Chantal Thomas est un ornement Seram.

La styliste crée les collections d'accessoires par secteur.

Toujours à la recherche de nouvelles matières, elle parcourt les salons professionnels (textile, bijoux...), les cabinets de style à la recherche de nouvelles tendances.
Sa principale mission est de monter un plan de collection qui formera les trois grands thèmes de la saison.

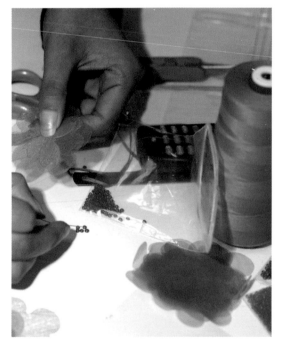

Pour le secteur lingerie, la styliste propose environ 120 articles par collection, dont seulement un quart sera retenu par le comité de sélection (marketing, bureau d'étude, achat).

Le métier de styliste en ornement est passionnant tant les matières sont variées et les associations, sans limites.

La styliste ne jette pas ces premières idées sur le papier.
L'étape croquis n'existe pas, et les idées sont immédiatement matérialisées en réalisant des prototypes.

Fabrication

À l'usine Seram, on trouve le stock de matières premières (ruban, perles, etc.). Ici sont réalisées les opérations automatisées comme la découpe des matières ; l'entreprise a également mis au point une machine qui plie le ruban en nœud.

Trois possibilités existent pour la fermeture du nœud : il est cousu par un fil, noué, ou encore soudé par ultrason.

Les unités délocalisées traitent tous les assemblages que l'on ne peut faire que manuellement. Elles reçoivent les ornements en kits, accompagnés du dossier technique.

Le travail à la main sur de petits morceaux de matière exige une grande précision du geste et un travail soigné afin que la qualité soit irréprochable.

Les articles sont contrôlés en France un par un par les trieuses.
Autant dire que leur coup d'œil est essentiel !

Charte éthique

La Seram est aussi une entreprise citoyenne qui a signé dès 2003 la charte éthique. Elle s'inscrit dans une démarche de délocalisation active, et participe au développement des pays partenaires par la création d'emplois.

Elle reverse, par ailleurs, une partie de son chiffre d'affaires à des associations locales pour développer la formation. C'est ainsi qu'elle s'engage à respecter et à faire respecter les règles de base du droit international, le respect des principes éthiques et celui de la personne humaine.
En clair, ne sont pas tolérés la discrimination, le travail des enfants, le harcèlement…

L'amélioration des conditions de travail est également envisagée grâce au développement de l'accès aux soins médicaux et au contrôle des salaires. La Seram soutient l'augmentation du niveau de qualification par la formation, ainsi que le respect et la protection de l'environnement.

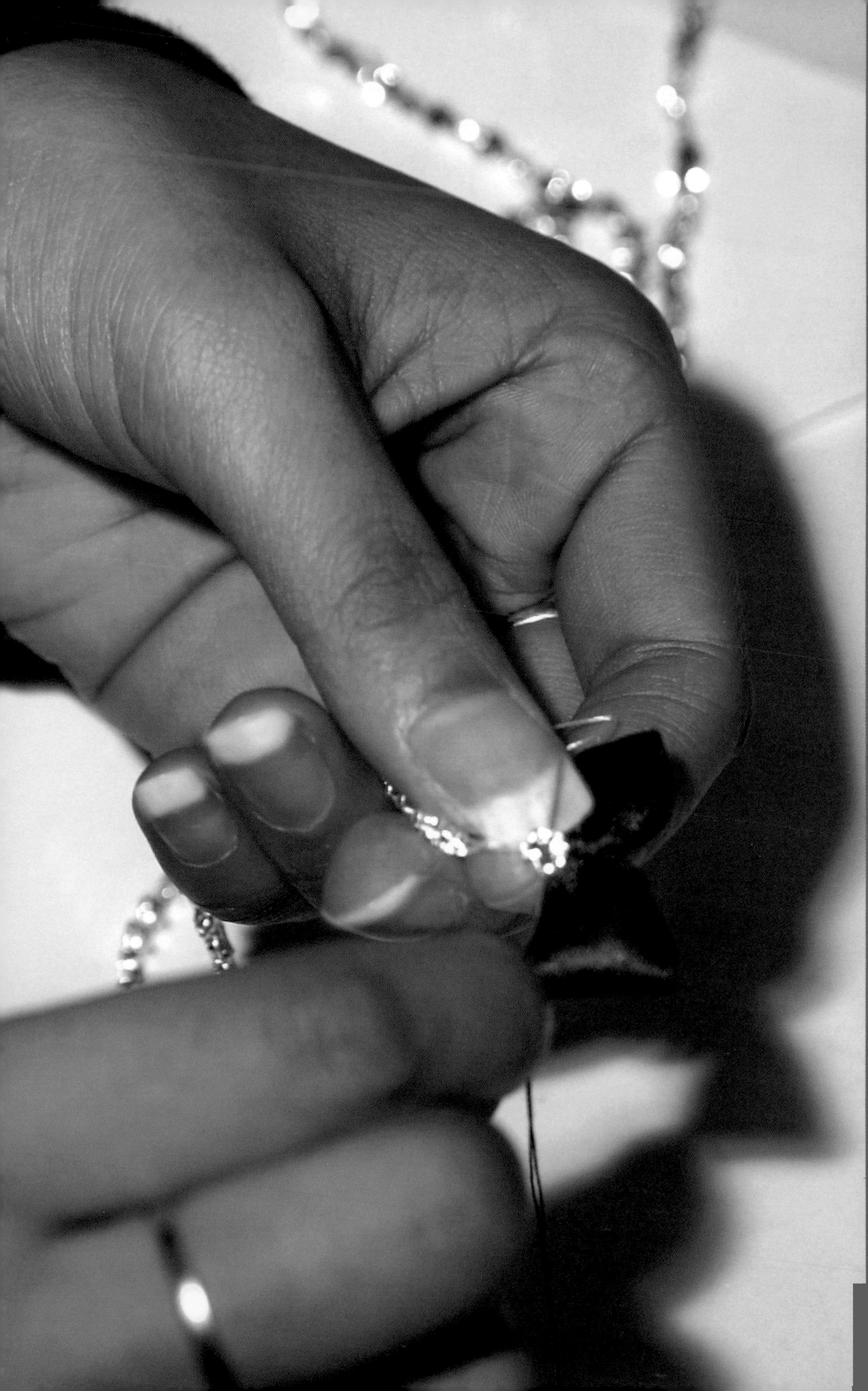

Dès la fin des années 1990,
la couleur s'est développée dans
de nombreux domaines : arts de la table,
décoration, arts ménagers, mode,
cosmétique, high-tech…

La lingerie se devait de suivre cette nouvelle tendance.
La couleur est donc devenue un élément incontournable du style. Aujourd'hui, les coloris les plus audacieux affirment la personnalité des collections, ajoutent du piquant et de la gaieté en plus de la séduction. Les imprimés font aussi une percée importante.

Caudry : teinturerie centenaire

Avant l'avènement de la couleur, la palette des coloris lingerie se composait essentiellement de blanc, chair, écru, noir et... marine. Dès lors, on mesure le chemin parcouru.

Aujourd'hui, la lingerie se pare des coloris les plus audacieux.

Cela étant dit, elle présente une spécificité qui ajoute à la difficulté de mise au point du bon coloris.

Sachant qu'un soutien-gorge est un puzzle composé de 20 morceaux différents, et qu'il faut compter au moins 15 fournisseurs pour le réaliser,

imaginez la gageure pour que ces derniers arrivent à faire teindre leur matière en harmonie avec ces différents partenaires.

Un vrai casse-tête qui explique pourquoi la phase de développement des coloris dure environ trois mois.

Les imprimés se développent également de façon importante.

Désormais, les supports d'impression sont de plus en plus variés : on imprime aussi bien sur du coton que sur de la microfibre ou de la dentelle.

Aujourd'hui,
la lingerie se pare des coloris
les plus audacieux.

La Caudrésienne : une entreprise innovante

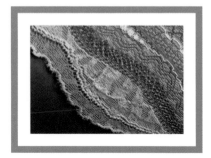

Il reste à ce jour, en France, trois teintureries. Situées dans la région Nord-Pas-de-Calais, elles teignent à elles seules environ 95 % de la dentelle française.

C'est à Caudry que se situe la plus ancienne des entreprises de teinturerie : la Caudrésienne.

lavage

arrivée des dentelles graphitées

Caudry, située à une centaine de kilomètres de Calais, est aussi une ville de tradition dentellière, mais l'origine du développement de cette activité y est sensiblement différente.

Alors qu'à Calais ce sont essentiellement des commissionnaires qui ont racheté les entreprises dentellières du début du siècle, les ouvriers sont à l'origine de la continuité de l'activité dentellière à Caudry.

La différence visible entre les dentelles Leavers fabriquées à Calais et à Caudry se situe au niveau de la préparation et de la protection des fils.

À Calais, on utilise du graphite (mine de plomb) pour protéger les fils, ce qui donne un aspect grisé à la dentelle.

À Caudry, on utilise de l'opalon (produit blanc dont les gymnastes s'enduisent les mains avant de s'élancer sur les barres).

Créée en 1898, l'entreprise de teinturerie et ennoblissement emploie aujourd'hui 89 salariés, et est dirigée par un véritable passionné. La teinturerie la Caudrésienne consacre plus de 80 % de son activité à l'habillement féminin et traite les dentelles, broderies, mailles, chaîne trame, textile 3D et bords élastiques.

versement de la formule coloris

Au début du cycle, les matières sont triées et identifiées informatiquement. Puis on procède au lavage intensif à chaud (40 °C) avec des produits détergents pour débarrasser les pièces de toute impureté. Certaines machines sont dotées de petits marteaux actionnés durant le lavage ; d'autres procèdent par pressage.

Les dentelles Leavers passent ensuite à la phase "dégraphitage".

Cette étape, suivie d'un essorage, consiste à éliminer totalement le graphite (gris) ou l'opalon (blanc), et à redonner son aspect écru à la dentelle. Vient ensuite le piquage, où l'on assemble les pièces d'une même largeur pour constituer un train de pièces.

Après quoi, au cours du passage en rame, il faut stabiliser les dimensions de la dentelle.

Le chef de rame va thermofixer, c'est-à-dire déterminer définitivement les dimensions de la dentelle : galon, raccord dessin, largeur.

En fonction des matières, il adapte les températures et la vitesse de passage de rame.

Pour les pièces très fragiles ou hors largeur, le préformage est effectué dans un four chauffé à la vapeur (90 °C à 220 °C).

Ce n'est qu'une fois les dimensions stabilisées que l'on va pouvoir aborder la phase de teinture proprement dite.

échantillons de formulation

Laboratoire

Une équipe d'une quinzaine de coloristes en blouses blanches s'affairent au laboratoire. À la manière des artistes peintres, ils se servent de pigments, qu'ils dosent "à la cuillère". Véritables alchimistes, ils recherchent inlassablement, à la nuance près, la formule de coloris conforme à la demande du client.

C'est aussi au laboratoire que l'on trouve la colorthèque, où sont précieusement catalogués des milliers d'échantillons et de formules.

Les formules de coloris sont élaborées comme de véritables recettes de teintures, en définissant le bon dosage entre les colorants, les produits chimiques et les auxiliaires de teinture.

dosage de pigment à la cuillère

étape de formulation du coloris

Première étape de l'élaboration de la formule du coloris : l'imprégnation de la matière à 40°C dans une eau additionnée de produits chimiques. On va monter très lentement en température pour atteindre les 98°C nécessaires à la migration des coloris vers la fibre. À ce stade, on atteint le palier de fixation du coloris, puis on procède lentement au rinçage. Ensuite, il ne reste plus qu'à établir la formule du coloris, que l'on optimise grâce à une machine au nom barbare de spectrophotocolorimètre, et à une correction visuelle.

Dernière étape avant d'arriver dans l'atelier de teinture, celle du semi-industriel où l'on teint des échantillons de quelques centaines de grammes, que l'on fait sécher graduellement à l'aide d'un ventilateur pour obtenir un coloris pur.

Teinture

Avant de mettre en œuvre toute formulation de coloris, les colorants et les produits chimiques sont pesés individuellement.

La précision est indispensable.

Après un cycle de teinture, le coloris est échantillonné. Ce sont quelque 400 coloris qui sortent ainsi chaque semaine de l'atelier. Chaque année, 300 tonnes de dentelle y sont traitées. La consommation journalière en eau est de 500 mètres cubes.

Dans l'atelier de teinture, la coloration de la matière se fait par échange entre bain de teinture et matière textile.

Il existe trois sortes de matériels, différents en fonction du poids et de la fragilité des pièces à teindre :
- autoclave (maille) : circulation de bain, matière enroulée ;
- braque à tourniquet (utilisée surtout pour la haute couture et le prêt-à-porter) : bain statique, matière en rotation ;
- overflow (lingerie) : circulation de bain et matière en rotation.

Une fois la matière teinte, elle passe à l'essorage, éventuellement à une phase d'apprêt, et enfin au séchage.

Contrôle et qualité

On contrôle en laboratoire de nombreux paramètres relatifs à la conformité du produit fini, comme la stabilité dimensionnelle ou la solidité des coloris. Et ceci dans le respect des normes qualité internationales (voir encadré).

Enfin, les pièces de dentelle sont visitées et contrôlées avant d'être expédiées au client.

Il existe des normes internationales (ISO) régissant les qualités d'endurance au lavage et à la lumière. La qualité d'un coloris est définie par sa résistance au lavage en machine (15 lavages) à 40 °C et à l'exposition d'une source artificielle de lumière.

Les colorants utilisés en lingerie répondent aux normes OEKOTEX, certifiant qu'ils ne contiennent aucune substance nocive.

Par ailleurs, chaque teinturier possède une centrale de traitement et filtrage des eaux usées, conformément à la législation de l'État et de la CEE, assurant ainsi le respect de l'environnement.

utoclave

cabine color

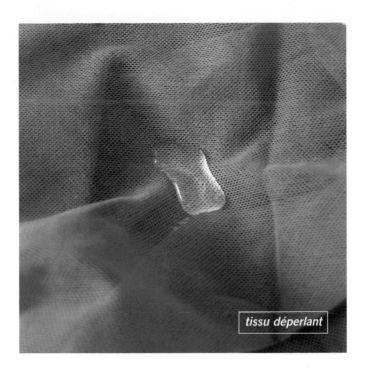

tissu déperlant

Innovation textile

La recherche d'innovation textile est très active. Les découvertes les plus connues du grand public sont certainement l'apparition de la fibre élasthanne et de la microfibre.

Mais les nouveaux fils à base de fibre de soja, de bambou et même de fibre de lait (caseïne) sont déjà là.

À la Caudrésienne, on prévoit dans un futur immédiat de développer "l'encapsulation". Il s'agit d'enfermer des colorants pour avoir des textiles qui changent de couleur sous l'effet de la lumière. En teinture, on traite des fibres optiques sensibles à la lumière et à l'éclairage. Un exemple d'application possible pour la lingerie : un coloris très sage dans la journée pourrait se transformer en couleur fluorescente dans l'intimité de l'obscurité !
À suivre…

Une autre application surprenante : le "déperlant". Il s'agit d'une éduction sur dentelle, c'est-à-dire d'une protection de la dentelle qui garde ses qualités originelles.

Dans ce cas, l'eau forme "une perle" qui ne passe pas au travers de la matière mais glisse simplement dessus.

Le déperlant peut donner un nouveau souffle à l'utilisation de la dentelle dans des secteurs tels que le packaging, la cosmétique, la parfumerie, ou encore dans le développement d'une ligne d'accessoires de luxe utilisant de la dentelle…

Impression

Une nouvelle ère de création lingerie

Après la teinture, l'impression sur tissu. Parallèlement à l'arrivée des coloris, les imprimés ont véritablement exploser au début des années 2000.

Autre grande région historiquement liée à l'industrie textile : la région lyonnaise. Au XVIe siècle, le bassin de Lyon est réputé pour son travail de la soie. Les "soyeux" de Lyon sont recherchés et reconnus dans toutes les cours d'Europe. À partir de la Révolution française, l'activité de la soie est en perte de vitesse.

Cette activité s'est effondrée peu à peu. Les tisseurs, appelés canuts (par opposition aux fabricants lyonnais détenteurs du capital), ont progressivement émigré dans le bas Dauphiné, au nord de Grenoble, se tournant vers les principaux traitements de l'ennoblissement textile : teinture, impression, gravure...
L'imprimeur textile est reconnu pour ses qualités de concepteur et de dessinateur. Il réalise des motifs grâce à des procédés d'impression directs sur le tissu.

L'imprimeur textile est reconnu pour ses qualités de concepteur et de dessinateur.

L'imprimeur des "terres froides"

Créée par M. Durand en 1925, l'entreprise Siegl, nichée au creux des montagnes du Dauphiné, s'est installée dans un lieu surprenant, à la beauté attachante. Siegl est abritée aujourd'hui dans une ancienne sucrerie datant de 1815, une magnifique bâtisse aux murs faits de galets et de torchis, digne de figurer au patrimoine national.

Elle fut transformée dans un premier temps en société de tissage, avant de devenir aujourd'hui le spécialiste européen de l'impression sur tissu.

À partir de 1958, le fondateur, M. Durand, se rapproche de la maison Hermès et imprime pour elle jusqu'en 1990.

Un grand fournisseur de soie, les tissages Perrin, achètent l'entreprise Siegl en 1990. Mais c'est en 2003 que Siegl rejoint définitivement Hermès, s'assurant ainsi une pérennité dans un contexte textile de plus en plus complexe.

Dans le respect de la tradition lyonnaise, l'activité de l'entreprise recouvre les quatre grandes techniques d'impression, et réalise 50 % de son chiffre d'affaires grâce à l'impression d'accessoires de mode (foulards, châles, étoles, cravates) sur des matières nobles comme la soie ou le cachemire. Le reste de l'activité couvre des secteurs tels que la Bagagerie, les éponges, le prêt-à-porter, le balnéaire, et depuis une petite dizaine d'années la lingerie. Le développement des produits imprimés exigeant une certaine proximité des acheteurs, c'est naturellement que Siegl s'est étendue sur le marché national.

L'export ne pèse que 15 % dans le chiffre d'affaires.

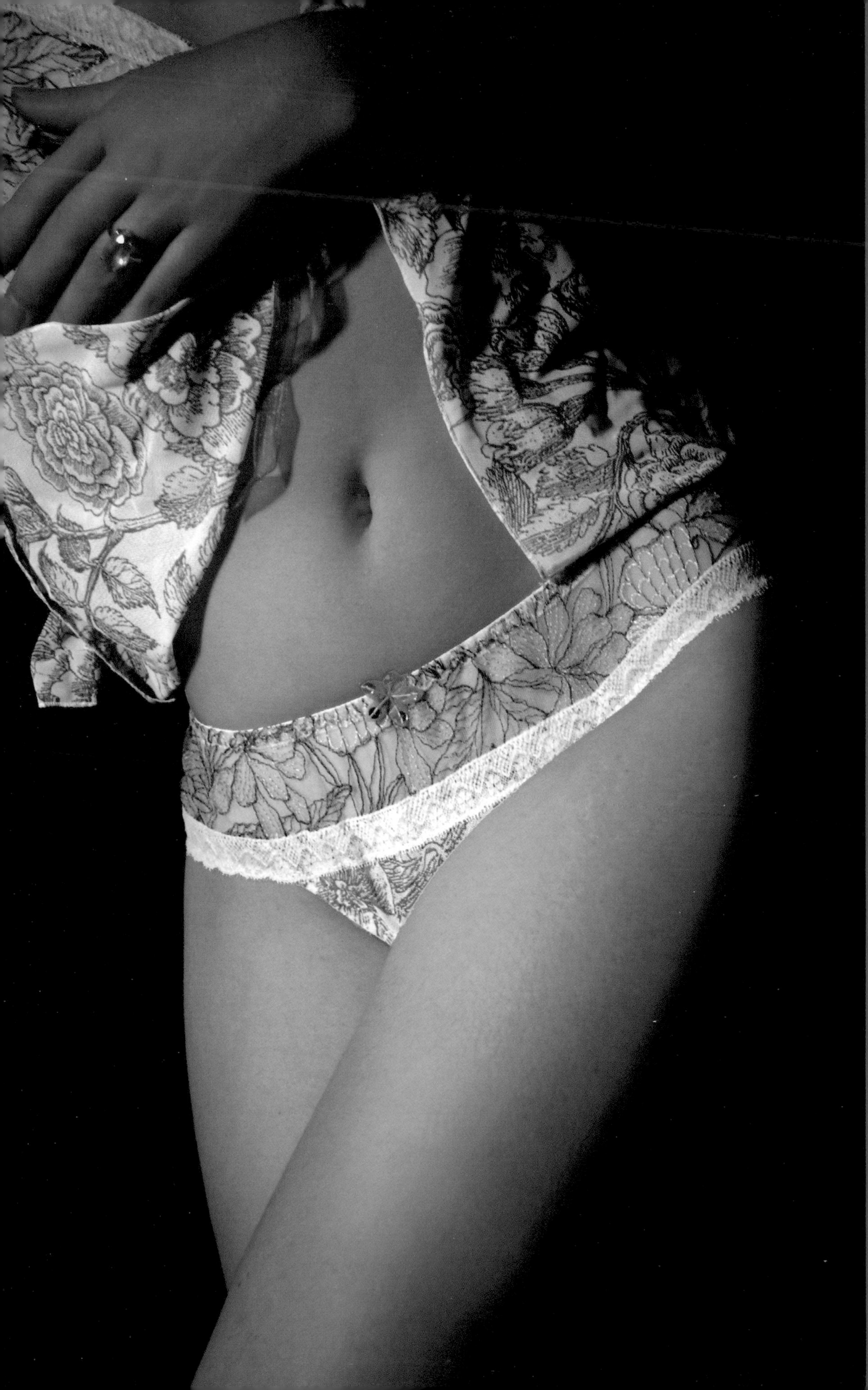

pots de colorant

table d'impression
alignement du tissu

table d'impression

Techniques d'impression

Les différentes techniques d'impression existantes varient selon la qualité et la quantité ; on dénombre quatre grandes techniques : impression à la table, impression au cadre plat mécanique, impression au cadre rotatif, et la plus récente, l'impression numérique.

À la table

La spécialité de la maison Siegl est l'impression "à la lyonnaise", ou impression à la table.

Cette technique très haut de gamme est destinée aux "carrés de soie" comportant un très grand nombre de couleurs.

La table d'impression autocollante est longue de 100 mètres. Il faut une heure pour poser le tissu à imprimer sur la table et pour qu'il soit parfaitement aligné. Les largeurs de table varient en fonction des supports à imprimer. Elles sont par exemple de 90 centimètres pour les foulards à 150 centimètres pour les châles ou les paréos.
Des centaines de milliers de foulards sont ainsi imprimés chaque année.
Le cadre (pochoir) se déplace tout au long de la table d'impression.

application du coloris
sur le cadre

Au cadre plat mécanique

Le tissu défile lentement sur un tapis et les cadres sont appliqués un à un mécaniquement. Cette technique est particulièrement employée pour les séries moyennes et les motifs placés.

Pour réaliser 1 000 mètres de tissu imprimé, il faut compter sept heures de travail, pour environ 10 cadres. Dans le cas de l'utilisation d'un cadre, la réalisation du colorant, sa texture, sa viscosité sont particulièrement importants. Il ne doit être ni trop liquide (dégorgement) ni trop solide pour être parfaitement réparti sur le tissu.

C'est dans la plus grande discrétion de "la cuisine", semblable à un atelier d'artiste, que les coloristes œuvrent au niveau tant des tonalités que de la viscosité des colorants.

Au cadre rotatif

Proche de la technique d'imprimerie papier, c'est le tissu qui défile sous les rotatives.

C'est une méthode adaptée aux grandes séries et aux motifs "all over". En une heure d'impression rotative, on obtient environ 1 200 mètres de tissu imprimé en 12 couleurs.

cadre (le coloris
remplit les blancs)

lavage

conditionnement sur rouleau

Numérique

Toute dernière-née des techniques d'impression sur tissu : l'impression numérique.

Cette technique a multiplié les possibilités d'impression. Le nombre de couleurs a augmenté, et la taille des pièces imprimables est extrêmement variée. La créativité est ici totalement libérée des contraintes habituelles d'impression, et se sont 15 à 20 mètres de tissu qui sont imprimés à l'heure. Petit bémol toutefois pour cette merveilleuse innovation : elle n'imprime que l'endroit du tissu…

Après avoir été imprimés, les tissus sont systématiquement mis à sécher sur des rames. Une fois les pièces de tissus sèches, on fixe le colorant à la fibre en utilisant de la vapeur saturée.

Le colorant fixé, on passe la pièce dans une énorme machine à laver pour éliminer tous les excédents de colorants. Tout comme dans la teinturerie, les imprimeurs sont tenus de respecter un certain nombre de règles sur la qualité et la solidité des colorants ; Ils sont également contraints d'appliquer une charte pour le respect et la protection de l'environnement.

Chez Siegl, ce sont quelque 600 mètres cubes d'eau qui sont utilisés et traités chaque jour.

Puis, quand tous les excédents de colorants ont disparu, on repasse la matière pour lui redonner sa forme et stabiliser ses dimensions ; elle sera visitée une dernière fois avant d'être conditionnée et envoyée aux clients.

De la création à la réalisation :
comment les "dessous"
prennent forme.

Formes
La lingerie

Les entreprises indépendantes de lingerie française se comptent aujourd'hui sur les doigts d'une main. Il y a trente ans, elles étaient environ 60…

EVE

L'alliance
Du maintien, de l'élégance et du charme

Traditionnellement, les corsetiers produisaient uniquement des correcteurs de silhouette (gaines).

Devenus des fabricants de lingerie, leur grande maîtrise technique garantit non seulement une réalisation parfaite mais aussi un maintien irréprochable.

La corseterie est l'un des métiers les plus techniques de la mode. Comme dans l'aéronautique, les tolérances sont au millimètre près.

Véritable puzzle, un soutien-gorge est composé de 20 pièces différentes : dentelle ou broderie, mailles, armatures, bretelles, agrafes, ornements...

Les boutiques lingerie tout comme les grands magasins offrent un large choix de tailles : largeur de dos (de 75 à100) et profondeurs des bonnets (de A à E).

Cependant, il est plutôt conseillé, au-delà du bonnet D, d'acheter ses sous-vêtements en boutiques : leur choix est plus vaste et les modèles restent raffinés et confortables. Plus on monte dans l'offre des tailles, plus les constructions sont spécifiques. D'ailleurs, chaque maison garde jalousement ses secrets de fabrication. Le confort des modèles, principalement celui des soutiens-gorge, est le résultat d'une mise au point longue et minutieuse.

Les entreprises de lingerie française, regroupées sous le label du même nom, sont reconnues internationalement pour leur créativité et leur haut niveau de technicité. Le grand rendez-vous planétaire de la profession, le Salon international de la lingerie, se tient chaque année à Paris.

Barbara, une entreprise presque centenaire

Créée en 1926 par Marcel Bena, l'entreprise débute en fabriquant du tissu élastique. Dès 1930, elle se spécialise dans la fabrication de gaines.

La création de soutiens-gorge commence en 1970 pour s'orienter, en 1980, vers la lingerie féminine. Le début des années 1980 marque la première utilisation de la fibre élasthanne, celui des années 1990, la première ligne en dentelle élastique.

photographie années 1950

Ce soir les enfants,
vous dormez chez mamie.

Annonce 2005
serre-taille "Folies"

barbara®
PARIS

www.barbara-beauxseins.com

Puis, au milieu des années 1990, c'est l'apparition de la première ligne en microfibre.

À la fin des années 1990, l'entreprise présente sa première collection de maillots de bain et entre de plein pied dans l'univers balnéaire. L'acquisition en 1999 de Ravage, une marque luxueuse de lingerie, confirme la place prépondérante de cette entreprise. Barbara fêtera ses 80 ans en 2006 – quatre-vingts ans de remises en question incessantes pour répondre aux attentes d'une clientèle toujours plus exigeante.

À l'occasion de cet anniversaire, Barbara rééditera son best-seller, "Cécilia".

Une création encadrée

Stylisme lingerie

L'aventure commence très en amont, un an et demi avant la commercialisation d'une collection. Il faut d'une part rechercher des matières, puis élaborer un plan de collection : à qui destine-t-on le produit ? à quel prix ?... Ces différentes orientations sont données aux créateurs par la chef de produit et le service marketing.

La styliste doit également tenir compte de contraintes techniques et de la qualité des matières retenues : le contact sur la peau doit être agréable et les lavages répétés, garantis.

Elle décline ainsi différentes versions d'une dentelle ou d'une broderie pour faciliter les placements des patrons. Pour mener à bien sa tâche, il est nécessaire de connaître tous les détails techniques des matières et d'avoir de sérieuses notions de modélisme, sans oublier l'optimisation des coûts.

Une styliste exprime sa créativité sur une surface réduite ; sa principale source d'inspiration se trouve dans la variété des textiles qu'elle emploie. Puis commence enfin le travail d'assemblage, suivi d'une étape de sélection des prototypes, jusqu'à la validation finale du produit. Une fois le modèle arrêté, la déclinaison des formes et des coloris va constituer une gamme (soutien-gorge, slip, bustier, guêpière ou porte-jarretelles).

On peut réellement parler d'une création "contrôlée", car elle repose sur un cahier des charges très astreignant. Ce challenge est renouvelé tous les six mois.

Le service création ressemble à une véritable ruche ! On trouve, pêle-mêle, des échantillons de matières, des croquis, des panneaux de tendance, des prototypes, et l'incontournable "stockman" (mannequin de tissu).

La recherche nécessite quelques croquis au crayon, et surtout de nombreux échanges avec les fournisseurs.

Modélisme lingerie

En lingerie, stylisme et modélisme sont indissociables. Pour interpréter librement une création, il faut maîtriser parfaitement la mise au point des articles. C'est un peu comme la maîtrise du solfège pour un musicien.

Le défi permanent du modéliste est de trouver le bon équilibre entre l'esthétisme et la technicité tout en restant fonctionnel.
En deux mots, faire du sur mesure à des milliers d'exemplaires.
Le modélisme, c'est mettre en volume (en trois dimensions) des idées à plat.
Il y a deux étapes principales.

LA RÉALISATION D'UN PROTOTYPE

(Ou la création du modèle en volume.)
Cette étape permet de donner forme au croquis et de se familiariser avec les matières, et également d'adapter toutes les pièces qui formeront le modèle à l'échelle de la taille choisie.

LA MISE AU POINT

C'est l'adaptation du tissu à la forme du soutien-gorge (ou autres) afin que le rendu soit parfait, de profil comme de face, pour mettre en valeur la poitrine. Habiller le plus grand nombre de femmes possible est une vraie gageure car les formes de seins sont très différentes en fonction des morphologies et des âges.
Les essayages sont essentiels pour étudier le comportement du produit et optimiser le confort. Les modèles sont testés, portés et lavés durant plusieurs jours dans les conditions de vie réelle.
La dernière étape est une phase de suivi technique jusqu'au lancement industriel du produit.

Naissance d'un soutien-gorge

De la conception à la création, il faut compter environ neuf mois.

Les principales étapes

STYLISME ET CRÉATION
La styliste choisit les matières dans les collections des fournisseurs en fonction des tendances.

CROQUIS
La styliste jette sur le papier les premières idées au crayon.

PATRON
À partir du croquis, les modélistes réalisent le patron du soutien-gorge.

PROTOTYPE
À l'aide du patron, on découpe les matières et on assemble les différentes pièces, en respectant les directives du style. Jusque-là, l'œil est seul juge.

MISE AU POINT
Cette étape délicate est la plus longue (trois mois). Essayages et mises au point se succèdent jusqu'à ce que le confort optimum soit atteint.

L'improvisation n'est pas de mise car le modélisme lingerie est technique

et complet ; les délais de production ne sont jamais négociables !

VERDICT DES ESSAIS DE PORTER
S'il est satisfaisant, le patron est validé ; sinon, il sera modifié autant de fois que nécessaire.

FIN DU CYCLE DE CRÉATION
Une fois que les essais sont concluants, le soutien-gorge quitte le cycle de la création pour celui de la production.

PRODUCTION D'UNE PRÉSÉRIE
Un lancement-test d'une mini production valide l'ensemble du processus de fabrication.

De la conception à la présence sur le lieu de vente, une année et demie se sera écoulée…

Conseils de pros

Premier constat intrigant : une grande majorité de femmes
ne portent pas la bonne taille de soutien-gorge !
N'hésitez pas à essayer plusieurs tailles (dos et profondeurs) ou à vous faire conseiller.
À chaque poitrine sa forme de soutien-gorge.
Voici les spécificités des trois formes les plus courantes.

SOUTIEN-GORGE CLASSIQUE À ARMATURES

Rendu projeté et traditionnel

C'est de loin la forme la plus vendue, car elle habille un spectre très large de morphologies. Cette forme est rassurante et bien enveloppante. Son projeté (rendu visuel) est traditionnel (c'est-à-dire en forme de cône). La forme permet une bonne répartition du sein dans le bonnet.

SOUTIEN-GORGE PLUNGE

Rendu décolleté plongeant et généreux

Il habille également une grande majorité de femmes. C'est un soutien-gorge mousse qui amplifie légèrement les formes. Il est particulièrement conseillé aux poitrines un peu "molles" car il dessine en rondeur le galbe du sein et lui redonne de la tenue. Il est recommandé pour les femmes qui ont des poitrines écartées, car il rapproche les seins. Il ne convient pas aux seins trop ronds.

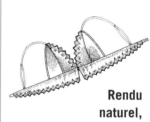

SOUTIEN-GORGE SANS ARMATURES

Rendu naturel, souple

Il en existe deux types :
- le sans-armatures-triangle pour petites poitrines fermes avec un joli galbe ;
- le sans-armatures-maintien pour toutes poitrines nécessitant un maintien en douceur (seins douloureux, problèmes de santé, chirurgie…). Il est fonctionnel, sans contraintes, et il respecte la forme naturelle du sein.

Quelques trucs pour l'essayage

Quand on met un soutien-gorge, il convient de "placer" ses seins en se courbant vers l'avant. Il faut bien régler les bretelles (maintien sans oppression) et placer les armatures de manière à ce qu'elles encadrent le rond du sein. Dans le dos, vérifiez que le soutien-gorge est à la même hauteur que l'entre-bonnets ; il ne doit absolument pas remonter, sous peine d'un basculement du soutien-gorge vers le bas.

Occasions exceptionnelles : quelle forme?

MARIAGE

Un soutien-gorge sans bretelles pour un bustier, un fourreau ou un corset.

DÉCOLLETÉS (V, ROND, PROFOND)

Pour les décolletés sexy, deux formes en vedette :
– le balconnet au décolleté bombé et droit ;
– le plunge au décolleté bombé et plongeant.

GROSSESSE

Si la poitrine est très sensible et gonflée, il convient de porter un soutien-gorge pendant la nuit. Dans ce cas, il faut en choisir un sans armatures mais avec maintien. Vérifier bien la taille, car on en change au moins trois fois durant la grossesse. S'il n'y a pas d'extra-sensibilité, on peut porter un soutien-gorge classique à armatures, en veillant à ce que celles-ci soient bien appliquées sur la peau.

VÊTEMENTS

Pour les tee-shirts moulants ou les tissus lisses ou très fins, le soutien-gorge sans coutures (moulé) est le plus adapté. Pour les emmanchures américaines ou très échancrées, le soutien-gorge à bretelles repositionnables est conseillé.
Pour les formes dos nu, il existe des soutiens-gorge spéciaux.
Enfin, n'hésitons pas à jouer des bretelles : pour les dissimuler, les choisir transparentes ; au contraire, si elles sont travaillées, il convient de les montrer.

Vérifier votre taille

Pour vérifier votre taille, plaquez les armatures contre le buste avec le pouce et le majeur.
Si le décolleté coupe ou est à la limite de l'aréole, le bonnet est trop petit.
À l'inverse, s'il y a des plis sur les bonnets ou si le décolleté bâille, ils sont trop grands.

Glossaire

ALL OVER

Dessin couvrant le tissu à 100 %.

BANDES

Forme de dentelle comportant une écaille (souvent avec des picots) ou un bord droit.

De largeur variable, on parle de petites bandes –18 cm, 24 cm, etc. – ou encore de volants pour les grandes largeurs.

CADRE

Pochoir.

ÉCAILLE

Petite finition arrondie de la dentelle (rappelant l'écaille du poisson), bord d'une bande ou d'un galon, floral, végétal, géométrique, ou en forme de vagues ou dentelures, par exemple. L'écaillage est l'opération de découpage des bandes en libérant les picots.

ÉDUCTION

Protection permettant de garder les qualités originelles de la matière.

FESTON

Grande écaille en haut d'une bande très travaillée et décorative, le feston forme comme une guirlande de fleurs et de feuilles liées ensemble.

FIL BRODEUR

Gros fil utilisé sur un métier de dentelle mécanique qui entoure, précise et met en relief les contours des motifs, ou crée le relief par la floche.

FLOCHE

Effet de relief produit par les fils brodeurs, en forme de va-et-vient et en surépaisseur.

FOND

Réseau très léger et très fin qui remplit les espaces entre les motifs. On parle de fond tulle, fond Valenciennes, fond 4 motions, fond grec, fond neige, mais aussi de point rouge, craquelé, mouches, nid d'abeille…

GALONS

Dentelle dont les deux bords ont une écaille ou un bord droit, avec ou sans picots, avec motif gauche et droit. Les motifs sont reproduits en symétrie renversée formant le raccord.

Les galons sont utilisés principalement en lingerie et corseterie.

GUIMPE

Fil qui produit un effet de sous-épaisseur dans un motif. En théorie, il est plus fin qu'un brodeur, mais plus épais qu'un fil de chaîne qui remplit les motifs. Lors de la lecture d'une esquisse, on peut distinguer la guimpe pleine et la guimpe demi-pleine ou demi-mate. Il permet aussi d'obtenir un effet de modelé dans la réalisation d'un pétale de fleur.

LAIZES

(Ou *all over* en anglais.) Dentelle dont les motifs couvrent toute la largeur de la pièce sur toute la largeur de la machine, sans écailles ni bandes.

PICOTS

Petites boucles situées sur le bord de l'écaille et qui servent de finition (décoration).

En forme de petites dents, ces bouclettes ont donné son nom à la dentelle.

RACHELLISTE

Conducteur de machine automatisée à tricoter la dentelle.

Il contrôle les métiers Rachel, Jacquartronic et Textronic fabriqués par Karl Mayer.

TULLE

Réseau très fin, très léger et transparent qui peut devenir un fond suivant les nuances de son décor ou de sa qualité. On parle de tulle bobin, tulle carrée, tulle araignée, tulle illusion, tulle grenadine, tulle zéphyr, etc.

TULLISTE

Conducteur de métier à tisser la dentelle Leavers, il règle sa machine, et veille à la bonne marche de l'ensemble des pièces qui la composent ainsi qu'à la constante régularité des motifs, des fonds et des picots.

VAPEUR SATURÉE

Air saturé en eau.

CE LIVRE EST DÉDIÉ À L'ENSEMBLE DES SALARIÉS DU SECTEUR LINGERIE/TEXTILE
POUR LEUR ENGAGEMENT, LEUR COURAGE ET LEUR PASSION.
CONTINUEZ DE NOUS FAIRE RÊVER…

Remerciements

Nous remercions pour leur participation
à cet ouvrage les personnes et entreprises suivantes :

Jean-Jacques Bena,
Président du directoire Barbara Lingerie,

Agnès Fontana, Béatrice Missistrano, Nathalie Quesney, Frédéric Hilde,
Barbara Lingerie,

Olivier Noyon, Xavier Harismendy, Christophe Blanchard,
Dentellier Noyon,

Denis et David Potencier, Blandine Buchmuller,
Broderies Potencier,

Hervé Durand, Rita Liagre,
Ornements Textiles Seram,

Franck Duhamel, Maud Lescroart,
Teinturerie la Caudrésienne,

Francis Perrin et Holding Hermès,
Imprimeur Textile Siegl.

Ainsi que les modèles : Angélique, Cécile, Delphine,
Élodie, Fanny, Jihan, Justine, Karine et Nadège.

Gil de Bizemont tient tout particulièrement à remercier :
Hugues de Bizemont, Anne Fuzellier, Dorothée Kœchlin-Schwartz,
Éléonore Le Boulenger, Sacha Lenormand, Carla Mardini,
Olivia Maurelli, Emmanuelle Olivier, Gwénaëlle Rollet,
Delphine Saurat, Thémistoclès Vassilopoulos.

LE VOYAGE S'ACHÈVE, LE VOILE EST TOTALEMENT LEVÉ ;
DÉSORMAIS INITIÉ, VOUS NE REGARDEREZ PLUS LA LINGERIE DU MÊME ŒIL.
À VOUS LE PLAISIR D'APPRÉCIER EN CONNAISSANCE DE CAUSE
TOUTE LA RICHESSE, LA DIVERSITÉ ET LA SENSUALITÉ DES DESSOUS.

Crédits

Agnès Fontana (page 83)
Simon Emmett (page 87)
© éditions Hors Collection, Paris 2005.
Achevé d'imprimer sur les presses
de Mame Imprimeurs à Tours, France
Numéro d'éditeur : 754
en octobre 2005
Tous droits réservés
Dépôt légal : novembre 2005
ISBN : 2-258-06779-0